Les brigands et la bibliothécaire

Claude Giribone
Conseiller Pédagogique

Marcel Hugon
Maître Formateur

Régis Mac
Illustrateur

NATHAN

Depuis qu'ils apprenaient à lire,
les brigands étaient devenus
bien raisonnables. Mais un jour,
on apprit une terrible nouvelle :
les brigands avaient pris des livres
dans une librairie. Ensuite,
ils avaient attrapé la bibliothécaire
sur la place du marché
et l'avaient emmenée dans leur cabane
au fond de la forêt.

« Que voulez-vous ?
demanda, effrayée, la bibliothécaire,
Mademoiselle Labourdette.

– Eh bien, voilà, Mademoiselle
la bibliothécaire, répondit le chef des brigands.
Autrefois, le soir, nous avions l'habitude
de nous asseoir autour d'un feu de bois
pour manger des cornichons, de la purée,
de la moutarde et de la confiture de prunes
et chanter des chansons de brigands.

Mais maintenant,
cela n'amuse plus
mes hommes. Ils veulent
toujours entendre et lire
de nouvelles histoires.
Il leur arrive même
de se réveiller au milieu
de la nuit en répétant
tout haut : p-a, pa ; p-i, pi ;
p-u, pu ; p-é, pé…
Malheureusement,
ils connaissent par cœur tous les livres
de la grand-mère et ils s'ennuient.

Alors il leur faut d'autres livres.
C'est vous qui allez les choisir
et les lire.
– Soit, répondit
Mademoiselle Labourdette
un peu plus rassurée.

Mais je dois vous avertir : j'ai passé
mon dimanche chez une amie.
Ses petits garçons sont malades.
Ils ne vont pas à l'école, ils ont tous
les quatre la rougeole.
– Aucune importance, répondit le chef
des brigands, j'ai déjà eu la rougeole. »

Quelques jours passèrent et,
un matin, tous les brigands (sauf le chef !)
s'éveillèrent couverts de boutons rouges
de la tête aux pieds.

Les brigands se grattaient,
gémissaient, grelottaient,
suppliaient. « Si vous voulez,
proposa Mademoiselle
Labourdette, je vais aller
à la bibliothèque chercher
le dictionnaire médical.
À l'aide de ce livre, je pourrai
sûrement vous soigner.

– D'accord, répondit le chef des brigands, mais je vous accompagne car vous restez ma prisonnière. »

À la tombée de la nuit,
Mademoiselle Labourdette
et le chef des brigands
étaient de retour.
« La cabane doit être plongée
dans la pénombre, dit-elle
en lisant le dictionnaire,
cela soulagera vos yeux rouges.

Allumez un feu dans la cheminée !
Quand on a la rougeole,
il est très important de rester couché
jour et nuit, bien au chaud dans son lit.
Vous verrez, les boutons disparaîtront
dans six à sept jours. »
Alors, la bibliothécaire remonta
lentement les couvertures
sur le nez des brigands.
Elle les borda comme des bébés.
« Chef, préparez
une bonne purée de légumes
avec des carottes et des navets.

Je vais lire
une histoire
aux malades. »

Malgré leur fièvre,
la tête sur l'oreiller,
les brigands écoutaient
avec beaucoup
d'attention.
Et le chef des brigands
écoutait lui aussi.

Quand les brigands furent
complètement guéris,
Mademoiselle Labourdette leur dit :
« Vous n'étiez pas de très bons brigands,
mais je pense que vous serez d'excellents
bibliothécaires car vous aimez vraiment
les livres. »
Très flattés par ce compliment,
les brigands promirent aussitôt
de devenir de bons bibliothécaires.

Depuis ce jour,
la bibliothèque attira
de plus en plus de monde.
Tous les jours,
à la sortie de l'école,
on organisait, pour les enfants,
l'heure du conte.

Les brigands étaient des animateurs pleins d'entrain et cela ne gênait personne de voir des bibliothécaires portant de grandes barbes.

> Texte inspiré de *L'enlèvement de la bibliothécaire*, Margaret Mahy, © Éditions Gallimard.

Des mots et des phrases

la bibliothécaire

la place

l'école

la cabane

La ? range les livres.

Le marché se trouve sur la ? du village.

La ? des brigands est au fond de la forêt.

Les élèves jouent dans la cour de ?.

Poésie

Petit ours

Petit ours est bien malade

il est couché dans son lit

il a mangé dix salades

six bananes et cent radis.

Trois jours à boire des tisanes.

Trois jours sans sortir du lit.

C'est la faute aux cent radis.

Raymond Lichet, *Pirouettes*, Éd. École des loisirs.